THA AN LEABHAR SEO LE:

....

....

....

MO CHIAD LEABHAR CHREUTAIREAN MARA

Dealbhan le
Zoë Ingram

acair

Iasg-cleasach

Cha mhòr nach eil 30 seòrsa aithnichte de dh'iasg-cleasach ann. Tha a' mhòr-chuid dhiubh dhen t-seòrsa orains is geal air a bheil sinn eòlach, ach tha feadhainn eile dubh is geal. Tha iad a' dèanamh an dachaighean am measg ghreimichean gathach nan cìochan-mara airson iad fhèin a dhìon bho shealgairean.

Meud

11 cm

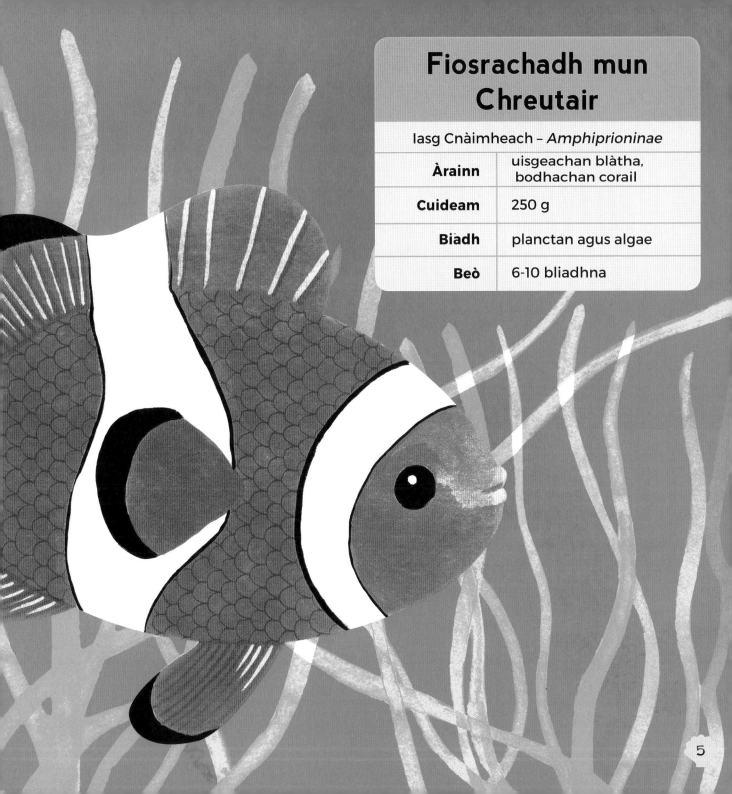

Fiosrachadh mun Chreutair

Iasg Cnàimheach – *Amphiprioninae*

Àrainn	uisgeachan blàtha, bodhachan corail
Cuideam	250 g
Biadh	planctan agus algae
Beò	6-10 bliadhna

Fiosrachadh mun Chreutair

Iasg maothanach – *Manta birostris*	
Àrainn	uisgeachan tropaigeach agus fo-thropaigeach
Cuideam	còrr is 1 tunna
Biadh	planctan agus iasg
Beò	50 bliadhna

Sòrnan-fallaingeach mòr

Tha na creutairean grinne seo am measg nan iasg as motha san t-saoghal. 'S e ainmhidhean glice a th' annta le comasan fradhairc is fàilidh geura agus tha eanchainnean uabhasach mòr aca. Bidh iad a' breith aon sòrnan beag gach dhà no trì bhliadhnaichean.

Meud
suas ri 9 m a leud

Muir-tiachd gealaich

Tha muir-tiachdan air a bhith air an Talamh airson milleanan de bhliadhnaichean. Tha iad air an dèanamh cha mhòr gu tur de dh'uisge agus chan eil eanchainn, fuil, cridhe no sùilean annta. Tha greimichean goirid aig muir-tiachdan gealaich agus tha iad furasta an aithneachadh leis na ceithir cumaidhean cruidhe-eich air na bodhaigean aca.

Meud

5-40 cm

Fiosrachadh mun Chreutair

Cnidaria – *Aurelia aurita*	
Àrainn	a-muigh sa chuan, faisg air uachdar na mara
Cuideam	's e uisge a th' ann an 95% dhen chuideam aca
Biadh	iasg, carrain, crùbagan beaga agus lusan
Beò	nas lugha na bliadhna

An robh fios agad?

'S e sgaoth a th' air buidheann de mhuir-tiachdan.

Fiosrachadh mun Chreutair

Cruaidh-shligneach – *Paguroidea*

Àrainn	muir a' chladaich
Cuideam	200-500 g
Biadh	planctan, iasg, algae agus neo-dhruim-altachain
Beò	mu 10 bliadhna

Partan-tuathal

Aocoltach ri fìor chrùbagan, chan eil slige chruaidh air partanan-tuathal idir agus feumaidh iad an dachaighean a dhèanamh ann an sligean falamh le ainmhidhean eile. Mar a tha iad a' fàs, feumaidh iad slige nas motha a lorg airson a dhol na broinn.

An robh fios agad?
Tha partanan-tuathal an-còmhnaidh deas-làmhach.

Meud
suas ri 10 cm

Crosgag

Chan e èisg a th' ann an crosgagan (cuideachd aithnichte mar rionnagan mara) – 's e neo-dhruim-altachain a th' annta. Tha mu 2,000 seòrsa fa leth ann agus gheibhear iad ann an iomadh dath. Mar as trice, tha còig gàirdeanan orra agus 's urrainn dhaibh gàirdean ùr fhàs ma chailleas iad fear.

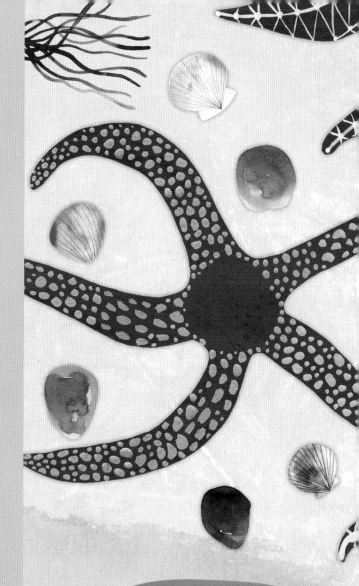

Meud

10-30 cm

An robh fios agad?
Chan eil fuil no eanchainn aig crosgagan.

Fiosrachadh mun Chreutair

Echinoderm – *Asteroidea*	
Àrainn	glumagan carraige, bodhachan corail agus raointean ceilpe
Cuideam	suas ri 5 cg
Biadh	creachainn, eisirean agus seilcheagan
Beò	suas ri 35 bliadhna

13

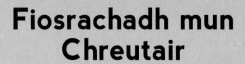

Fiosrachadh mun Chreutair

Cephalopod – *Mesonychoteuthis hamiltoni*

Àrainn	a-muigh sa chuan, 1-4,000 meatair sìos
Cuideam	co-dhiù 500 cg
Biadh	iasg agus gibearnaich eile
Beò	dìreach 2 bhliadhna

Gibearnach mòr

'S e an gibearnach mòr an neo-dhruim-altachan as motha san t-saoghal agus 's ann aige a tha na sùilean as motha de gach creutair beò – tha iad cho mòr ri truinnsearan dinnearach. Tha ochd gàirdeanan orra agus dà ghreimiche nas fhaide a th' air an còmhdach le deocadairean is dubhain bhiorach airson creach a ghlacadh.

An robh fios agad?
A dh'aindeoin am meud, chan fheum gibearnaich mhòra ach 30 gram de bhiadh ithe gach latha.

Meud

14 m

Muc-mhara adharcach

Aithnichte mar aon-adharcach na mara, tha a' mhuc-mhara adharcach fhireann a' fàs tosg a tha suas ri trì meatairean a dh'fhaid. 'S e fiacail a th' anns an tosg, a tha a' fàs tron bhile mhullaich aca ann an cumadh snìomhain tuathaile. Tha na h-àireamhan aca ann an cunnart air sàillibh atharrachadh na gnàth-shìde agus truailleadh.

Meud

4-5.5 m

(às aonais an tuisg)

An robh fios agad?
'S urrainn dhan mhuic-mhara adharcaich dàibheadh sìos gu còrr is 1,500 meatair.

Fiosrachadh mun Chreutair

Mamal – *Monodon monoceros*

Àrainn	Uisgeachan fo-phòlach is pòlach
Cuideam	suas ri 1.6 tunna
Biadh	iasg, carrain agus gibearnaich
Beò	30-40 bliadhna

Fiosrachadh mun Chreutair

Cnidaria – *Anthozoa*	
Àrainn	Uisge blàth, soilleir, aodomhainn
Cuideam	an aon dùmhlachd ri gainmheach
Biadh	algae agus planctan
Beò	ceudan bliadhna

An robh fios agad?
Tha Sgeir Mhòr Astràilia cho mòr agus gum faicear i bho fhànas.

Corail

Tha corail coltach ri lusan, ach 's e beathaichean beaga nach eil a' gluasad a th' annta, ris an canar gròm. Tha iad a' fuireach ann am buidhnean, agus a' fàs slige air an taobh a-muigh a bhios an uair sin a' tionndadh na chorail. Thar mìltean bliadhna, ma dh'fhàsas tòrr corail còmhla, tha iad a' cruthachadh bodha – àrainn a tha cudromach do dh'èisg.

Meud
suas ri 30 cm

Cearban mòr geal

'S iad cearbanan na sealgairean as motha a tha sa mhuir. Tha 300 fiacail triantanach biorach aca, air an roinn ann an seachd sreathan, airson 's ma thuiteas tè a-mach gu bheil an-còmhnaidh tèile deiseil airson a dhol na h-àite. 'S urrainn dhaibh snàmh aig 60 km san uair agus astaran mòra a shiubhal. Aocoltach ris a' mhòr-chuid de chearbain, tha cearbanan mòra geala blàth-fhuileach gu ìre.

Meud

4.6-6 m

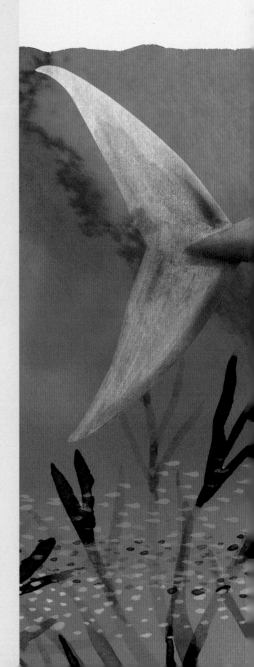

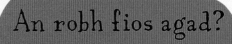

An robh fios agad?
'S urrainn do chearban fàileadh aon bhoinne fala fhaighinn ann an 100 liotair de dh'uisge.

Fiosrachadh mun Chreutair

Iasg maothanach – *Carcharodon carcharias*

Àrainn	uisgeachan nas fhuaire ris a' chladach
Cuideam	2.5 tunna no barrachd
Biadh	iasg, sgait, ròin, leòmhainn-mhara agus mucan-mara beaga
Beò	suas ri 70 bliadhna

Fiosrachadh mun Chreutair

Iasg Cnàimheach – *Tetraodontidae*	
Àrainn	Uisgeachan tropaigeach agus fo-thropaigeach
Cuideam	suas ri 13 cg
Biadh	neo-dhruim-altachain agus algae
Beò	mu 10 bliadhna

An robh fios agad?
Chan eil èisg-shèididh idir
math air snàmh!

Iasg-sèididh

Tha còrr is 120 diofar sheòrsa iasg-sèididh ann. Nuair a tha iad ann an cunnart, bidh iad gan lìonadh fhèin le uisge, a' cur nam bioran aca a-mach agus gan sèideadh fhèin suas ann am ball mòr airson sealgairean fhuadach air falbh. Tha iad uabhasach puinnseanta, ach tha iad air am meas blasta dha-rìribh ann an cuid de dh'àiteachan san t-saoghal.

Meud
17-60 cm

Ròn-calaidh

Tha ròin-chalaidh a' fuireach ann am buidhnean mòra agus a' conaltradh gu ìre mhòr fon uisge. 'S e creutairean diùid ach feòrachail a th' annta, a tha ainmeil airson a bhith glic. Tha aon chuilean aig an tè bhoireann gach bliadhna, agus is urrainn dha snàmh cho luath 's a thèid a bhreith.

Meud

1.2-1.8 m

'S urrainn do ròin-chalaidh dàibheadh gu mu 200 meatair agus fuireach fon uisge airson suas ri 30 mionaid.

Fiosrachadh mun Chreutair

Mamal – *Phoca vitulina*

Àrainn	uisgeachan nas fhuaire ris a' chladach
Cuideam	45-130 cg
Biadh	iasg, gibearnaich, maorach agus cruaidh-shlignich
Beò	20-30 bliadhna

Fiosrachadh mun Chreutair

Iasg cnàimheach – *Lophiiformes*

Àrainn	muir domhainn
Cuideam	suas ri 50 cg
Biadh	rud sam bith anns am faigh iad am fiaclan a chur an sàs!
Beò	neo-aithnichte (co-dhiù 3 bliadhna, 's mathaid)

An robh fios agad?
Tha an solas air a chruthachadh le bacteria a tha a' deàlradh agus a bhios a' fuireach ann an ite tàlaidh a' mhic-làmhaich.

Mac-làmhaich

Tha mic-làmhaich a' fuireach shìos gu domhainn anns a' chuan – co-dhiù dà chilemeatair sìos. Tha ite tàlaidh a bhios a' lasadh air an tè bhoireann airson creach a tharraing thuice. Tha an ite coltach ri slat-iasgaich agus air sgàth sin, canar *anglerfish* ris ann am Beurla. Tha an tè bhoireann fada nas motha na am fear fireann.

Meud

20-100 cm

Each-mara

Tha cinn nan each-mara coltach ri ceann eich agus tha iad a' cleachdadh nan earball camagach aca airson grèim a chumail air lusan gus nach tèid an sguabadh air falbh. 'S urrainn do dh'eich-mhara breug-riochd a chur orra fhèin airson falach bho shealgairean. Tha mu 40 diofar sheòrsa each-mara ann.

Meud

17-30 cm

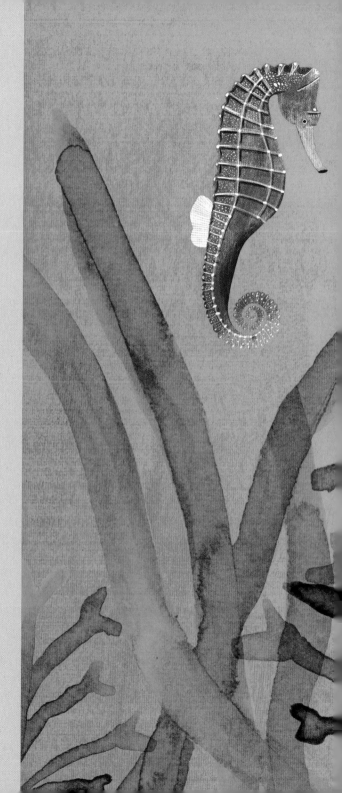

Fiosrachadh mun Chreutair

Iasg cnàimheach – *Hippocampus kuda*	
Àrainn	uisgeachan nas blàithe ris a' chladach
Cuideam	suas ri 200 g
Biadh	cruaidh-shlignich bheaga
Beò	3 bliadhna

An robh fios agad?

'S e an t-each-mara fireann a bhios a' gur nan uighean gus am bi iad deiseil.

Fiosrachadh mun Chreutair

Mamal – *Tursiops truncatus*

Àrainn	cuantan blàtha agus muir a' chladaich
Cuideam	500-650 cg
Biadh	èisg bheaga, carrain agus gibearnaich
Beò	40-50 bliadhna

An robh fios agad?

Feumaidh leumadairean tighinn gu uachdar na mara airson anail a tharraing ach 's urrainn dhaibh an anail a chumail fon uisge airson seachd mionaidean.

Muc-bhiorach

Tha meas mòr air leumadairean air feadh an t-saoghail agus 's e ainmhidhean air leth glic a th' annta. Tha iad fìor mhath air conaltradh agus bidh iad a' cleachdadh ghliogan, bhìogan agus fheadan airson còmhradh. 'S urrainn dhaibh snàmh aig astaran thairis air 30 km san uair agus bidh iad a' siubhal còmhla ann am buidhnean.

Meud

suas ri 4 m

31

Turtair-mara uaine

Tha na fuamhairean socair seo a' siubhal astaran fada eadar far a bheil iad ag ithe agus far am bi iad a' breith nan uighean aca. Bidh an fheadhainn bhoireann a' cladhach nid air tràighean gainmhich agus a' breith linn anns am bi mu 100-200 ugh. Bidh iad a' tighinn a-mach às an ugh às dèidh dà mhìos agus feumaidh na turtaran beaga dèanamh air a' mhuir cho luath 's a ghabhas mus tèid an ithe.

Meud

suas ri 1.5 m

An robh fios agad?

Aocoltach ris a' mhòr-chuid de thurtaran, chan urrainn do thurtaran-mara an cinn no an casan a tharraing a-steach dhan t-slige aca.

Fiosrachadh mun Chreutair

Snàgair – *Chelonia mydas*	
Àrainn	uisgeachan blàtha ris a' chladach
Cuideam	65-130 cg
Biadh	bilearach-mara agus algae
Beò	suas ri 80 bliadhna

Fiosrachadh mun Chreutair

Snàgair – *Laticauda colubrina*	
Àrainn	uisgeachan blàtha is tropaigeach ris a' chladach
Cuideam	suas ri 1.8 cg
Biadh	easgannan agus èisg bheaga
Beò	10 bliadhna

An robh fios agad?
'S urrainn do nathraichean-mara creach a shlugadh a tha nas motha na iad fhèin!

Nathair-mhara

Tha an nathair-mhara bhannach a' fuireach ann am bodhachan corail anns a' Chuan Innseanach an ear agus anns a' Chuan Shèimh an iar. Tha iad a' cur seachad barrachd ùine air tìr na tha iad san uisge ach 's urrainn dhaibh dàibheadh airson 30 mionaid mus fheum iad tighinn suas air ais airson èadhar. Tha iad uabhasach puinnseanta agus bidh iad a' fàgail na creiche aca gun chothrom gluasad mus sluig iad slàn iad.

Meud
75-128 cm

Ochd-chasach

Tha ochd casan air ochd-chasaich
agus ma thèid tè a ghearradh dheth,
's urrainn dhaibh toirt air tèile fàs às
ùr. Chan eil cnàimhean idir annta,
agus mar sin 's urrainn dhaibh falach
ann an àiteachan uabhasach beag
airson teiche bho shealgairean.
'S urrainn dhaibh cuideachd an dath
aca atharrachadh agus breug-riochd
a chur orra fhèin. Ma thèid an lorg,
bidh iad a' spùtadh a-mach inc dhubh
airson iad fhèin fhalach, agus an uair
sin bidh iad a' teiche gu luath.

Meud

30-100 cm

Fiosrachadh mun Chreutair

Cephalopod – *Octopus vulgaris*

Àrainn	a-muigh sa chuan
Cuideam	3-10 cg
Biadh	crùbagan, giomaich Spàinnteach agus moileasgan
Beò	1-2 bhliadhna

Fiosrachadh mun Chreutair

Mamal – *Enhydra lutris*	
Àrainn	cladaichean creagach agus coilltean ceilpe a' Chuain Shèimh
Cuideam	suas ri 45 cg
Biadh	conain-mhara, crùbagan, creachainn agus seilcheagan
Beò	an fheadhainn bhoireann suas ri 20 bliadhna, an fheadhainn fhireann suas ri 15 bliadhna

An robh fios agad?
Bidh dòbhrain-mhara a' leigeil às a' bhìdh aca air am mionaichean – dìreach mar thruinnsearan – nuair a tha iad ag ithe!

38

Dòbhran-mara

Tha bian air leth tiugh air dòbhrain-mhara (140,000 gaoisid anns gach ceudameatair ceàrnagach!) a tha gan cumail blàth ann an uisge fuar. Tha iad a' cur seachad fad am beatha san uisge agus a' cadal air an druim dìreach, le grèim air spògan a chèile airson 's nach seòl iad air falbh bhon bhuidhinn aca.

Meud

suas ri 1.5 m

Carran

Tha carrain a' fuireach air feadh an t-saoghail agus tha còrr is 2,000 seòrsa ann. Tha deich casan agus stiùirichean fada air a' charran chumanta. Tha iad uabhasach math air snàmh agus 's ann an comhair an cùil a bhios iad a' gluasad. 'S urrainn do charrain mhòra a bhith beò aig doimhneachd 5,000 meatair.

Meud

suas ri **8 cm**

Fiosrachadh mun Chreutair

Cruaidh-shligneach – *Crangon crangon*

Àrainn	anns gach àite
Cuideam	mu 4 g
Biadh	algae agus planctan
Beò	suas ri 3 bliadhna

An robh fios agad?
'S urrainn do dh'aon charran
suas ri millean ugh a
bhreith còmhla.

Fiosrachadh mun Chreutair

Mamal – *Balaenoptera musculus*

Àrainn	anns gach àite ach a-mhàin san Artaig
Cuideam	190 tunna
Biadh	cril
Beò	80-90 bliadhna

> **An robh fios agad?**
> 'S urrainn dhan teanga aca a bhith cho trom ri ailbhean.

Muc-mhara ghorm

An t-ainmhidh as motha a bha a-riamh air thalamh, tha na mamalan mìorbhaileach seo a' fuireach còmhla ann am buidhnean beaga. Bidh iad ag ithe chreutairean beaga bìodach air a bheil cril – suas ri 40 millean gach latha. Tha ochd meatairean de dh'fhaid ann am muc-mhara ghorm bheag (laogh) agus tha còrr is trì tunnaichean de chuideam annta mar-thà.

Meud

30 m

Clàr-innse

Comharraich na beathaichean a tha thu air fhaicinn anns a' mhuir.

○ **Corail**

Duilleag 18

○ **Mac-làmhaich**

Duilleag 26

○ **Muc-mhara ghorm**

Duilleag 42

○ **Muc-bhiorach**

Duilleag 30

○ **Iasg-cleasach**

Duilleag 4

○ **Gibearnach mòr**

Duilleag 14

○ **Sòrnan-fallaingeach mòr**

Duilleag 6

○ **Cearban mòr geal**

Duilleag 20

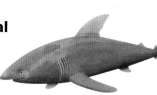

○ **Turtair-mara uaine**

Duilleag 32

○ **Ròn-calaidh**

Duilleag 24

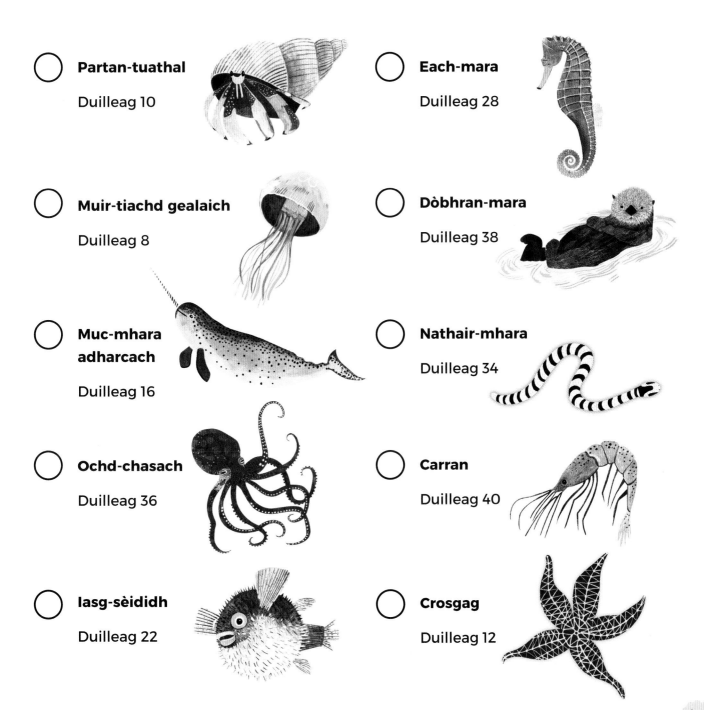

○ **Partan-tuathal**

Duilleag 10

○ **Muir-tiachd gealaich**

Duilleag 8

○ **Muc-mhara adharcach**

Duilleag 16

○ **Ochd-chasach**

Duilleag 36

○ **Iasg-sèididh**

Duilleag 22

○ **Each-mara**

Duilleag 28

○ **Dòbhran-mara**

Duilleag 38

○ **Nathair-mhara**

Duilleag 34

○ **Carran**

Duilleag 40

○ **Crosgag**

Duilleag 12

Don dàibhear agam, a tha measail air
a' chuan domhainn is air ochd-chasaich.
Tha mi an dòchas gun tèid againn air co-dhiù
feadhainn de na creutairean mìorbhaileach seo
fhaicinn còmhla ri chèile aon latha. Agus Tòbaidh.

A' chiad fhoillseachadh sa Bheurla 2021 ann am Breatainn le
Walker Books, 87 Vauxhall Walk, Lunnainn, SE11 5HJ

www.walkerbooks.co.uk
2 4 6 8 10 9 7 5 3 1

A' chiad fhoillseachadh sa Ghàidhlig ann an 2022 le Acair, An Tosgan,
Rathad Shiophoirt, Steòrnabhagh, Eilean Leòdhais HS1 2SD

info@acairbooks.com   www.acairbooks.com

© an teacsa Ghàidhlig Acair, 2022

An tionndadh Gàidhlig le Mòrag Anna NicNèill
An dealbhachadh sa Ghàidhlig le Mairead Anna NicLeòid

Tha Acair a' faighinn taic bho Bhòrd na Gàidhlig

Gheibhear clàr catalog CIP airson an leabhair seo
ann an Leabharlann Bhreatainn.

LAGE/ISBN 978-1-78907-119-1

Clò-bhuailte ann an Sìona

Le Zoë Ingram:

978-1-78907-067-5

978-1-78907-090-3